RONALD GUTBERLET

WALLER, FELCHEN, MEEFISCHLI

Fischgerichte aus Süddeutschland

MIT Z

VON I

EUROPA
VERLAG

Inhalt

Ronald Gutberlet, Chefredakteur des »Szene Hamburg«-Sonder-
heftes »Essen + Trinken« und Restaurant-Kritiker für das »Hamburger Abendblatt«, ist Gourmet und leidenschaftlicher Koch.
Unter seinem Pseudonym Robert Brack schrieb er den Gastro-
Krimi »Die Feinschmecker-Morde«. Im Europa Verlag ist von
ihm in gleicher Ausstattung die sechsbändige Reihe »Norddeutschland kulinarisch« erschienen. Ronald Gutberlet lebt in
Hamburg-Ottensen, nur wenige Schritte vom Elbufer entfernt.

Das Land und sein Fisch

»Lachse, Gründlinge, Bürschling, Hecht – sind im Januar nicht schlecht, doch Bedingung ist zumeist: Erst erwischen, eh man speist«, reimte einmal ein fischbegeisterter Feinschmecker. Auch in Süddeutschland gelten Fische als traditionelle Speise und besondere Delikatesse, nicht nur freitags und zur Fastenzeit.

Bayern und Baden-Würtemberg waren schon immer fischreiche Länder. Auch wenn weit und breit kein Salzwasser zu finden ist, werden doch zwischen Main und Donau, zwischen Bodensee und Chiemsee, zwischen Rhein und Inn seit Anbeginn der Besiedlung die schmackhaftesten Fische aus den Binnengewässern gezogen. Nicht nur in den großen Flüssen, auch in den Bergbächen, nicht nur im »Schwäbisches Meer« genannten Bodensee, auch in vielen anderen kleineren Gewässern und Zuchtteichen gedeihen zahlreiche Arten, von denen nicht wenige in Norddeutschland gänzlich unbekannt sind. Andere Fische wie Lachs oder Aal, die gemeinhin mit Küstengegenden in Verbindung gebracht werden, hat es auch im Süden schon immer gegeben.

In alten Aufzeichnungen der badischen Fischerzunft ist zu lesen, daß pro Jahr über 30 Tonnen Lachs aus dem Oberrhein gefischt wurden. Erst in den 50er Jahren kam die Lachsfischerei im Rhein zum Erliegen, weil der Fluß immer schmutziger wurde. Manche Fische wie der Donauwaller oder die Bodenseefelchen genießen über die Grenzen Bayerns und Badens hinaus einen legendären

Ruf und werden sogar in andere Regionen »exportiert«. Die Karpfen aus dem Frankenland, die Hechte aus dem Main und die Bachforellen aus dem Schwarzwald sind in ihrer Region nicht weniger begehrt. Und jeder, der einmal das Münchner Oktoberfest besucht hat, kennt den Steckerlfisch und hat vielleicht davon gehört, daß er traditionell im Chiemsee gefangen wurde.

Kurzum, ganz Süddeutschland ist ein Paradies für Fischliebhaber, und man möchte fast behaupten, daß es hier in den süßen Gewässern mehr eßbare Arten gibt als im Norden an der Waterkant. Einst war der Fischreichtum sogar noch viel größer. Was haben die Berufsfischer und Hobbyangler früher nicht alles an Land gezogen: Neunaugen, Strömer, Ukelei, Schneider, Güster, Nasen, Karauschen, Schmerlen, Schlammpeitzger, Moderlieschen, Hasel, Döbel, Rotfedern, Kretzer und viele mehr. Auch heute gibt es die meisten dieser Fische noch, allerdings in so kleiner Zahl, dass sie nur gelegentlich auf dem Tisch eines passionierten Anglers landen.

Dennoch leben in den süddeutschen Gewässern große Mengen unterschiedlichster Nutzfische, die nicht nur in Zuchtteichen, sondern auch in freien Seen, Bächen und Flüssen gehegt und gepflegt werden. Da der Bedarf an Karpfen, Schleien und Brachsen, an Forellen, Felchen und Saiblingen, an Zander, Hecht und Barsch wie auch Waller, Aal und Trüschen sehr groß ist, müssen die Fische in Zuchtanstalten vermehrt und anschließend ausgesetzt werden. Anders wäre die Artenvielfalt bei gleichzeitigem kulinarischen Genuß nicht möglich. Aber seit die Wasserqualität immer besser wird, haben es auch die Fische wieder leichter, Laichgründe zu finden und sich eigenständig zu vermehren. Sogar aus dem Rhein werden neuerdings wieder Lachse gezogen.

Schon die Römer liebten die Trüschen aus dem Bodensee und schätzten die Leber dieses Süßwasserdorschs als ganz besondere Delikatesse. Und bereits im Mittelalter legten die Mönche in ihren Klöstern Karpfenteiche an. Lange Zeit hatten die feudalen Grundherren ihren Untertanen das eigenmächtige Angeln verboten. Wie die Jagd war auch die Fischerei ein Privileg des Adels. Dennoch fanden auch die einfachen Menschen immer eine Möglichkeit mit Angel, Netz oder bloßer Hand widerrechtlich an ihre Spezialitäten zu kommen und sie zuzubereiten.

Hier werden typische süddeutsche Fischrezepte vorgestellt, mal bäuerlich derb, mal bürgerlich feinsinnig, mal künstlerisch kreativ. Welche Form der Zubereitung die beste ist, mag jeder für sich entscheiden. Schließlich kommt es zu allererst auf den unmittelbaren Genuß an, getreu dem Ausspruch des Nürnberger Arztes Gustav Blumröder, der in seinen »Vorlesungen über Eßkunst« aus dem Jahre 1838 erkannte: »Fische sind eigentlich wohl Fleisch, eigentlich aber auch kein Fleisch. Statt darüber zu streiten, so lasse man sie lieber sich schmekken.«

Von Karpfenfischen

Im Mittelalter wurde der auch damals schon beliebte Karpfen in der Gegend um den Bodensee Klosterfisch genannt. Tatsächlich waren es Mönche, die den Speisefisch nach Deutschland brachten und zunächst in Klosterteichen züchteten. Ursprünglich stammt der Karpfen aus dem Schwarzen Meer und kam in großer Zahl in der Donau vor, die ja ins Schwarze Meer mündet. Der Name Karpfen, von »Carpa«, soll sogar einstmals nichts anderes bedeutet haben als »Donaufisch«. Von der Donau aus etablierte sich die Karpfenzucht über die Jahrhunderte hinweg in ganz Europa, zu allererst in Süddeutschland.

In wilder Form kommen Karpfen heute in ruhigeren Gewässern vor, dann sind sie komplett beschuppt. Zuchtkarpfen hingegen haben kaum Schuppen, der Spiegelkarpfen immerhin noch drei Reihen, der Lederkarpfen dagegen ist fast ganz schuppenlos. Der Karpfen gilt als gut mästbarer, also dankbarer Zuchtfisch und als das »Schwein« unter den Wasserbewohnern, weil er Allesfresser und nicht besonders anspruchsvoll ist. Er ist ein sehr zählebiger Geselle, weshalb man ihn in früheren Jahrhunderten zur Fastenzeit lebend in nassem Moos transportierte. Derart aufs Trockne gelegt, wurde er vom Käufer tagelang mit in Milch eingeweichtem Brot gefüttert, um ihn noch fetter und wohlschmeckender zu mästen. Karpfen werden bis zu einen Meter lang, gut 25 Kilo schwer und es wird behauptet, sie könnten ein ehrwürdiges Alter von über hundert Jahren errei-

chen. Als besondere Delikatesse gilt unter Feinschmek-
kern die Karpfenzunge. Auch die Karpfenmilch der
männlichen Tiere wird von Gourmets geschätzt, als ge-
bratene oder ausgebackene Spezialität. Wer seinen
Karpfen selbst schlachtet, hat die Chance, aus seinem
Blut eine schmackhafte Sauce zu bereiten.

»Der brave Fisch«, so schreiben Rudolf Habs und
Ludwig Rosner in ihrem 1894 erschienenen »Appetitlexikon«, »ist aber nicht bloß bei seiner Fruchtbarkeit
und Zählebigkeit vorzüglich gut zu züchten, sondern
bei seinem Fett und seinem Wohlgeschmack auch vorzüglich gut zu essen. Schon mariniert erregt er eine
günstige Vorstellung, gebacken stille Befriedigung, in
schwarzer Sauce allgemeine Anerkennung, als Ragout
ungeteilte Zustimmung, gebraten lauten Beifall, in Ge-
lee aufrichtige Bewunderung und blaugesotten endlich
jenes tiefe, innige Entzücken, für das die Auserwählten
überhaupt keine Worte haben und das man daher kurz
und bündig als ›blaue Karpfen-Seligkeit‹ bezeichnet.«

Die in Deutschland an winterlichen Festtagen, allen
voran Weihnachten oder Neujahr, beliebteste Zube-
reitungsart ist das »Blaukochen«. Dafür sollte der Fisch
so frisch wie nur möglich sein.

Karpfen blau
(für 4 Personen)
2 Karpfen, 250 ml Essig, 1 Zwiebel,
1 TL Pimentkörner, Salz

*Karpfen vom Fischhändler schuppen, ausnehmen und
längs halbieren lassen. 1½ Liter Wasser, Essig mit der*

Zwiebel und den Gewürzen aufkochen und die Fisch-
hälften mit dem Kopf zuerst und der Hautseite nach
oben hineinlegen. Abdecken und 10 Minuten im Sud
kochen. Dazu gibt es Salzkartoffeln, grünen Salat und
Meerrettich.

»Es mußte ein Spiegelkarpfen sein, nackt bis auf vier
Reihen silbriger Schuppen die Flanke hinunter. Er sollte groß sein, aber nicht zu alt, sonst würde er brackig
schmecken. Er sollte auf jeden Fall männlich sein, weil
der Laich in einem ausgewachsenen männlichen Karpfen eine Delikatesse für sich war. Seine Kiemen mußten
rot sein, und seine Augen mußten hervorstechen und
lebendig aussehen. Der ganze Fisch mußte vor Leben
und Kraft beben«, heißt es in Vicki Baums Erzählung

»Der Weihnachtskarpfen«, einer Festtagsgeschichte, die überraschend traurig endet: Als die Familie endlich am Tisch sitzt, bringt es keiner über sich, den gebackenen Karpfen anzurühren, denn alle hatten sich an den stillen Mitbewohner gewöhnt, den sie drei Wochen in der Badewanne beherbergt hatten und liebevoll Adalbert nannten.

Die meisten Menschen sind nicht so sentimental, und außerdem ist es heute nicht mehr so wie in früheren Zeiten üblich, den Festtagskarpfen tagelang in der eigenen Badewanne schwimmen zu lassen. Heute haben die Fischhändler genügend Fische vorrätig oder halten sie auf Bestellung bis zum entsprechenden Tag in ihren eigenen Becken.

In Vicki Baums Geschichte wird der Karpfen gebakken serviert. Das ist neben dem Blaukochen die einfachste Art, ihn zu einer Delikatesse zu veredeln.

Gebackener Karpfen
(für 4 Personen)
2 Karpfen (je 1,5 kg),
Salz, Pfeffer, Mehl, Butterschmalz

Die Karpfen vom Fischhändler schuppen, ausnehmen und längs halbieren lassen. Salzen, pfeffern und in Mehl wenden. In heißem Fett zehn Minuten ausbacken. Dazu wird Kartoffelsalat serviert.

Es ist schwer zu sagen, wo der Karpfen am beliebtesten ist. Er gilt in ganz Süddeutschland als Delikatesse. Aber besonders das Frankenland ist übersät mit Karpfenteichen, die kaum mehr zu zählen sind. Fünftausend soll es allein in Oberfranken geben, viertausend in der Oberpfalz und dreitausend im Pegnitz-, Regnitz- und Wörnitz-Gebiet. Besonders geschätzt wegen ihrer hervorragenden Qualität werden die Aischgründer Karpfen, die aus der Gegend um Fürth und aus dem oberpfälzischen Hirschau.

In Nürnberg brät man den Karpfen, nachdem man ihn vorher in Bier mariniert hat. Und egal, wo man sich befindet, ob in Bayern oder Baden, das Ausbacken in Bierteig gilt als höchste Vollendung der Karpfenzubereitung.

Karpfen in Bierteig
(für 4 Personen)
4 Karpfenfilets (je 300 g),
Salz, Pfeffer, Zitronensaft,
150 g Mehl, 100 ml helles Bier,
2 Eigelb, 2 Eiweiß, Butterschmalz

Die Fischstücke salzen, pfeffern und mit Zitronensaft beträufelt 15 Minuten ziehen lassen. Das Mehl mit dem Bier, dem Eigelb und 1 Prise Salz verrühren und 15 Minuten quellen lassen. Das Eiweiß steif schlagen und unter den Teig heben. Reichlich Butterschmalz in einer großen Pfanne erhitzen. Nun die Filets in Mehl wenden, durch den Bierteig ziehen und im heißen Fett schwimmend golbgelb ausbacken. Herausnehmen, abtropfen lassen und zusammen mit Kartoffelsalat servieren.

Wie gut, daß die Mönche des Mittelalters ihre Erfahrungen in der Karpfenzucht nicht für sich behielten. Sie brachten den Bauern bei, wie man Teiche für die Fischzucht anlegt, und bescherten ihnen damit ein neues Lieblingsgericht. Bisher ist es noch niemals vorgekommen, daß ein passionierter Fleischesser die Nase über ein Karpfengericht gerümpft hätte. Das liegt sicher auch daran, daß man den Karpfen besonders herzhaft und deftig zubereiten kann, nicht zuletzt als gesulzten Fisch.

Gesulzter Karpfen
(für 4 Personen)
1 Spiegelkarpfen (etwa 1,2 kg),
50 g Salz, 4 EL Essig,
2 Bund Suppengrün kleingeschnitten,
1 Zwiebel grob gehackt, 2 Zitronenscheiben,
2 Lorbeerblätter, 1 TL Pimentkörner,
1 EL Pfefferkörner,
2 Stangen Lauch in Scheiben geschnitten,
2 Karotten in Scheiben geschnitten,
2 Zwiebeln in Ringe geschnitten,
Saft und Schale von 1 Zitrone, Pfeffer,
½ Bund Petersilie feingehackt

3 Liter Wasser zusammen mit dem Salz, Essig, Suppengrün, gehackter Zwiebel, Zitronenscheiben, Lorbeerblättern und den Piment- und Pfefferkörnern in einem großen Topf aufkochen. Den Karpfen in den Sud legen und bei milder Hitze 40 Minuten garziehen lassen. Den Fisch herausnehmen und abkühlen lassen. Den Sud durch ein Sieb in einen Topf geben und aufkochen.

Zwiebelringe, Lauch- und Karottenscheiben zwei Minuten darin garen und herausnehmen. Den Fisch häuten, filetieren und in mundgerechte Stücke teilen. Auf eine tiefe Platte geben, Lauch und Möhren darüber verteilen. Den Sud einkochen und mit Zitronensaft, Zitronenschale und reichlich Pfeffer würzen. So viel davon über die Fischstücke geben, daß sie gut bedeckt sind. Zwölf Stunden im Kühlschrank gelieren lassen. Mit Petersilie bestreut servieren und Brot dazu reichen.

Wem das noch nicht deftig genug ist, der kann es einmal mit dem folgenden Rezept probieren, bei dem der Fisch beinahe so wie Fleisch behandelt wird. Es stammt aus dem Schwarzwald, wo man traditionell die Fische gern auch in rotem Wein gart, nicht nur die schlanke Forelle, sondern eben auch den fetten Karpfen, dem diese Umwandlung in ein Ragout sehr guttut.

Karpfen in Rotwein
(für 4 Personen)

1 Karpfen, 4 EL Essig, Salz, 3 EL Butter,
50 g durchwachsenen Speck gewürfelt,
1 EL Mehl, 250 ml Rotwein, 125 ml Fleischbrühe,
2 Zwiebeln grob gehackt, 1 Karotte kleingeschnitten,
1 Stück Sellerieknolle gewürfelt, 3 Nelken,
8 Pfefferkörner, 6 Wacholderbeeren,
1 Lorbeerblatt, 1 Zweig Thymian

Den Karpfen in Portionsstücke teilen. Mit Essig begießen und mit Salz einreiben. Die Speckwürfel in einer Pfanne auslassen, Butter dazugeben und die Karpfenstücke darin 15 Minuten schmoren. Mehl darüber stäu-

ben und mit dem Wein ablöschen. Die Fleischbrühe
und die restlichen Zutaten dazugeben und den Karpfen
fertig garen. Fisch herausnehmen und warmstellen.
Den Sud aufkochen, durch ein Sieb geben, eventuell
einkochen und über den Fisch gießen. In einer Terrine
servieren und Kartoffelpüree dazu reichen.

Eine Verwandte des Karpfens ist die Schleihe, auch
Schlüpfling oder Schuster genannt. Man kann diesen
Fisch, dessen weißes Fleisch leicht süßlich schmeckt,
genauso zubereiten wie den Karpfen. Die Schleihen
sind kleiner als die Karpfen, werden maximal sieben
Kilogramm schwer und haben sehr fettes Fleisch. Wie
sein Vetter sollte auch die Schleihe einige Tage vor der
Zubereitung in sauberem Wasser gehalten worden sein,
denn es »findet sich die Schleihe bei ihrer angeborenen
Vorliebe für Sumpf und Moder häufig mit dem absto-
ßenden Schlammgeschmack behaftet«, heißt es im
»Appetitlexikon«. Gewässert jedoch »ist ihr weißes,
fettes Fleisch von untadeligem Wohlgeschmack«. Wegen des hohen Fettanteils ist die Schleihe nicht gerade
leicht verdaulich, kann aber dafür beim Kochen auch
nicht trocken und faserig werden.

Schleihe in würzigem Sud
(für 4 Personen)
2 Schleihen (je 800 g), 2 Möhren, 100 g Sellerieknolle,
2 Gemüsefenchel, 1 EL Pfefferkörner,
3 Lorbeerblätter, 250 ml Weißwein, 1 TL Salz,
Essig, frischer Majoran, Kerbel und Dill

Die Schleihen filetieren und in ¼ Liter Wasser mit den Gräten und je einem Stück Möhre und Sellerie sowie Lorbeer und Pfefferkörnern 20 Minuten lang einen Fond kochen. Durch ein Sieb geben und den Wein dazugießen. Erhitzen und mit dem in hauchdünne Scheiben geschnittenen Fenchel aufkochen. Mit Essig und Salz gut würzen und die Fischfilets darin 5 Minuten lang sprudelnd kochen. Die Filets auf eine Servierplatte legen, den Fenchel darauf verteilen, etwas Sud darüber träufeln und großzügig mit den fein gehackten Kräutern bestreuen. Dazu kleine Salzkartoffeln reichen.

Karpfen und Schleihe findet man eher im nördlichen Teil des deutschen Südens. Der populärste Karpfenfisch in weiter südlich liegenden Regionen ist die Brachse, auch Brasse genannt. Man findet sie in großer Zahl in den Voralpenseen. Allerdings kann man nicht behaupten, daß die Tiere dort in »freier Wildbahn« vorkommen, wie es früher einmal der Fall war. Am Chiemsee beispielsweise sind immerhin 18 Berufsfischer damit beschäftigt pro Jahr 120 bis 150 Tonnen Fische zu fangen, die allerdings zunächst eingesetzt werden mußten, denn wegen des Tourismus und der dadurch verursachten Unruhe haben die Tiere nicht genug Ruheplätze, um zu laichen. Auch den Fischern kommen die Urlauber gelegentlich ins Gehege beziehungsweise zwischen die Netze. Dennoch gehen sie ihrer Arbeit nach, und die meisten Fische, die sie aus dem Chiemsee holen, sind Brachsen. »Je kleiner, je gemeiner« urteilen manche über diesen Verwandten des Karpfens, und sicherlich meinen sie damit, daß die vielen Gräten bei kleineren Exemplaren mitunter lästig sind. Trotzdem erfreuen sich die Brachsen bei passionierten Gourmets großer Beliebtheit. Das folgende Rezept ist ein Trost auch für Grätenhasser: Wird der Fisch lange genug in Essig eingelegt, lösen sich die Gräten nämlich auf.

Saure Bratbrachse
(für 4–6 Personen)
6 Brachsenfilets, Salz, Zitronensaft,
4 EL Mehl mit ½ TL Paprikapulver vermischt, Öl
Für den Sud:
250 ml Essig, 2 Zwiebeln, 2 Karotten,
80 g Sellerie, 1 Stange Lauch, 1 TL Pimentkörner,
1 TL Pfefferkörner, 1 Lorbeerblatt

Die Fischfilets salzen, mit Zitronensaft beträufeln und 10 Minuten ziehen lassen. Trockentupfen, im Paprika-Mehl wenden und im heißen Öl knusprig braun braten. Zwiebeln in dünne Scheiben, Karotten, Sellerie und Lauch in dünne Streifen schneiden. Essig und ¼ Liter Wasser zusammen erhitzen, mit dem Gemüse und den Gewürzen aufkochen und 15 Minuten köcheln lassen. Die Fische in ein passendes Gefäß schichten und mit dem Sud übergießen. Eine Nacht lang durchziehen lassen. Mit Röstkartoffeln servieren.

Brachsen – in älteren Büchern auch »Braxen« geschrieben – können 60 Zentimeter lang und sechs Kilogramm schwer werden. Sie sind schmaler als der Karpfen und haben ein recht weiches Fleisch, dessen Geschmack mancher als fade empfindet – ein weiterer Grund den Fisch kräftig zu braten oder sauer einzulegen. Übrigens gibt es einen Trick, den schlaue Brachsen-Liebhaber anwenden, um das Grätenproblem in den Griff zu bekommen: Mit einem dünnen, sehr scharfen Messer schneidet man die Fische auf beiden Seiten mit parallel gesetzten Schnitten bis auf die Mittelgräte ein und zerkleinert auf diese Weise die Quergräten, die dann beim Verzehr des Fisches nicht mehr stören.

In »München wie es ißt, trinkt, wohnt und sich vergnügt« beschreibt Josef Benno Sailer den Münchener Fischmarkt im Jahre 1920: »Hochinteressant ist, namentlich am Karfreitag, das Leben und Treiben auf dem Fischmarkt. Da drängen und schieben sich die Menschen mit Körben und Netzen um die fliegenden Stände der Fischer und Fischhändler an der Westenriederstraße. In übereinandergestellten Zubern und Wannen plätschern die strammen Hechte und stattlichen Karpfen, die breiten Braxen, die Bürschlinge und Eitel, die Kerflinge, Renken und Ruten und wie sie alle heißen, bis der eine oder andere von ihnen die lüsternen Augen eines fastenbeflissenen Privatiers oder eines diensteifrigen Kocherls auf sich zieht und diese seine Anziehungskraft unmittalbar darauf auf der Schlachtbank büßen muß. Ein Schlag mit dem Holzschlägel ins Genick, und vorbei ist's, mit staunenswerter Fertigkeit reißen die an den Massenmord gewöhnten Hände der Verkäufer dem Armen noch das Eingeweide und die ›Seele‹ heraus, entledigen ihn mit scharfem Insrument seines glänzenden Schuppengewandes – und er ist fertig für die Küche.«

Vom Lachs und seinen Verwandten

Zu den Lachsfischen, die in der süddeutschen Küche eine wichtige Rolle spielen, gehören der Lachs selbst, auch Salm genannt, der Huchen oder Donaulachs, die Lachsforelle, auch als Seeforelle bekannt, die Regenbogen- und die Bachforelle, das Felchen, auch Renke oder Maräne genannt, und der Saibling. Alle diese Fische zeichnen sich durch zartes, schmackhaftes Fleisch aus und gehören sicherlich zu den wertvollsten Delikatessen, die die heimischen Gewässer zu bieten haben.

Der edle Lachs wird gemeinhin als Meeresbewohner angesehen, was daran liegt, daß kaum noch jemand in unseren Breiten die Gelegenheit hat, »zu Berge ziehende« Lachse beim Sprung über Stromschnellen und Wehre zu beobachten. Es heißt, daß der in Sachen Umwelt sehr kritische Lachs inzwischen wieder die großen deutschen Ströme aufsucht, um sich flußaufwärts seinen bevorzugten Laichregionen zu nähern. Die Chancen, einen im Rhein gefangenen Lachs zu ergattern sind allerdings auch weiterhin äußerst gering. Im Handel sind entweder Wildlachse aus dem Atlantik oder Zuchtlachse aus den Aquafarmen Norwegens oder Schottlands erhältlich. Auch »Bio-Lachs« wird neuerdings gezüchtet, obwohl eine artgerechte Haltung bei einem Wanderfisch kaum im Käfig erfolgen kann. Gourmets streiten sich darum, ob es einen wirklichen Geschmacksunterschied zwischen Wild- und Zuchtlachs gibt. Die Frage ist bis heute offen.

Der atlantische Lachs kann bis zu zwei Meter lang und 40 Kilogramm schwer werden. Ist er flußaufwärts unterwegs, schafft er pro Tag die stolze Strecke von 50 bis 100 Kilometern. Und woher bekommt er seine schöne rote Farbe? Von den roten Krebsen und Garnelen, von denen er sich ernährt, solange er sich im Meer befindet.

Einst genossen die Lachse aus dem Rhein einen legendären Ruf: Der Rheinlachs, auch Wintersalm genannt, hatte ein sehr fettes, dunkelrotes Fleisch. Die großen silberglänzenden Fische blieben zunächst ein Jahr lang im Strom, bevor sie sich im zweiten Jahr auf die beschwerliche Reise flußaufwärts in ihre Laichgründe machten. »Übrigens«, heißt es noch im »Appetitlexikon«, »war der Fisch im Mittelalter weit häufiger in den europäischen Strömen als gegenwärtig und bildete eine gewöhnliche Fastenspeise. Am Bodensee wird er um 1070 als Fastengericht genannt, die Klosterküche des 14. Jahrhunderts gab ihn auch in Teig gebacken.«

Der Lachs war also einstmals ein typischer süddeutscher Alltagsfisch. So gesehen, und weil die Flüsse wieder sauberer und damit lachsfreundlicher werden, wäre es an der Zeit, in unsere Kochbücher wieder mehr Lachsrezepte aufzunehmen, wie zum Beispiel das folgende aus dem Badischen.

Lachs auf Schnittlauchsauce

(für 4 Personen)
4 Lachsscheiben (je 200 g),
Salz, Pfeffer, Zitronensaft,
400 ml Fischfond, 200 ml Weißwein,

2 EL feingehackte Schalotten,
100 ml Sahne,
60 g kalte Butter gewürfelt,
1 EL feingehackter Schnittlauch

Die Lachsscheiben mit Zitronensaft beträufeln, salzen und pfeffern. Die Schalotten in eine gebutterte Form streuen und die Lachsscheiben darauf legen. Fischsud und Weißwein angießen, die Form abdecken und den Fisch bei 180 Grad 8 Minuten im Ofen garen. Die Lachsscheiben herausnehmen und warmstellen. Den Fischfond auf die Hälfte einkochen, durch ein Sieb geben, die Sahne hinzufügen und sämig kochen. Vom Herd nehmen und die Butterwürfel einrühren. Schnittlauch einstreuen und die Sauce über den Fisch geben. Mit Salzkartoffeln servieren. Statt Schnittlauch können auch andere frische Kräuter wie zum Beispiel Estragon und Kerbel verwendet werden.

Ein ganz besonderer Fisch der Lachsfamilie ist der Huchen. Der Huchen kommt nur in der Donau und ihren rechtsseitigen, vom Gebirge kommenden Zuflüssen vor und wird deshalb auch Donauhuchen genannt. Sein Fleisch ist weiß, fest und schmeckt aromatisch. Heute als Delikatesse gehandelt, weil er besonders rar ist, galt der Huchen in früheren Zeiten als nicht ganz so feiner Angehöriger seiner Familie wie der Lachs und die Forelle. Es soll schon Huchen gegeben haben, die bis zu zwei Meter lang und 50 Kilogramm schwer wurden, im Allgemeinen bleiben sie aber viel kleiner. Als man am 11. Februar des Jahres

1564 in Wien einen Huchen von 40 Pfund Gewicht
aus der Donau zog, galt dies als derart aufregendes
Ereignis, daß sogar der Kaiser kam, um das beacht-
liche Tier zu besichtigen.

In Bayern gilt der Huchen als der König der Süßwasserfische. In den Donau-Zuflüssen kommt er noch vor,
muß dort aber immer wieder ausgesetzt werden, da er
sich in der Natur nicht genügend vermehrt und zudem
auf kleinste Umweltstörungen sehr sensibel reagiert. Er
fühlt sich nur in absolut klarem, sauerstoffreichem und
eiskaltem Wasser richtig wohl. Inzwischen wird der
Huchen auch gezüchtet, gelangt aber nur selten in den
Handel, weil die Züchter zunächst die interessierte
Spitzengastronomie beliefern.

Gebackene Huchenfilets
(für 4 Personen)
4 Huchenfilets (je 200–250 g),
Zitronensaft, Salz, Pfeffer, 2 Eier, 2 EL Mehl,
100 g Semmelbrösel, 2 EL Öl, 100 g Butter

Die Huchenfilets leicht klopfen, mit Zitrone beträufeln, salzen und pfeffern. Die Eier mit zwei Eßlöffeln Wasser verquirlen. Öl in einer Pfanne erhitzen. Die Filets in Mehl wenden, durch die Eier ziehen, in Semmelbrösel wenden, in das heiße Fett geben und auf beiden Seiten kurz anbraten. Die Butter zufügen und den Fisch hellbraun braten. Die Filets abtropfen lassen und mit Zitronensaft beträufeln. Dazu paßt Kartoffel-Gurken-Salat. Die Filets können aber auch auf Kohlrabi- oder Gurkengemüse serviert werden.

Wer danach sucht, und nicht auf Anhieb seinen Huchen auf dem Markt bekommt, sollte sich damit trösten, daß es auch in früheren Zeiten nicht unbedingt besser war. All die schönen Fische in den süddeutschen Bächen, Flüssen und Seen waren zwar Naturprodukte, aber dennoch nicht für jedermann verfügbar. Die Fischrechte gehörten dem Adel oder sonstigen Grundherren, und dem gemeinen Volk war es dementsprechend untersagt, einfach loszugehen und sich ein Mittag- oder Abendessen zu angeln.

Manche taten es trotzdem, wie Anna Wimschneider in ihrem Buch »Herbstmilch« beschreibt: »Der Girgl fischte gerne. Er hat mit unseren Buben ausgemacht, daß er um elf Uhr nachts kommen werde, mit Netz, Fischstecher und Angel. Die Buben gingen mit, nahmen zwei Jutesäcke und eine Laterne mit und Holzspäne zum Leuchten. Das Fischwasser gehörte dem Baron. Gegen morgen, wenn die Leute noch schliefen, kamen sie mit ihrer Beute heim, sie konnten kaum alles tragen. Die zwei Säcke waren fast voll mit Krebsen, mit großen und kleinen Fischen. Die Buben waren so begeistert, daß sie bald wieder gehen wollten. Der Vater richtete die Krebse und ich die Fische her. Sie wurden entschuppt, in Salzwasser gelegt und gebacken.« Und wer kein Netz und keine Angel hatte, übte geduldig, bis er es schaffte, die Forellen mit der bloßen Hand aus dem Wasser zu ziehen.

An Stelle von Salm und Huchen finden sich auf den Speisekarten der süddeutschen Restaurants häufiger Lachsforellen. Lachsforellen kommen in großer Zahl im Bodensee vor. Sie wurden dort schon im 9. Jahrhundert von den Karolingern gezüchtet und dürfen deshalb getrost als typisch bayerisch, typisch schwäbisch und typisch badisch bezeichnet werden. Allerdings handelt es sich um ein Tier, von dem der normale Konsument nicht so genau weiß, was es ist und was er damit tun soll. Lachs oder Forelle?

»Die Lachsforelle ist die kleine Cousine des Lachses, aber nicht minder lecker«, heißt es in Udo Pinis »Gourmet-Handbuch«. Sie wird auch Meerforelle oder Seeforelle genannt. Tatsächlich handelt es sich um eine Forellenart, die jung in Flüssen lebt, dann ins Meer zieht, dort auf Lachsgröße anwächst und zum Laichen wieder in den angestammten Fluß zurückkehrt. Lachsforellen kommen nicht nur im Bodensee, sondern auch in zahlreichen anderen Alpen- und Voralpenseen vor. In ausgewachsenem Zustand sind sie dem Lachs äußerlich sehr ähnlich. Ihr Fleisch ist weniger fett und deshalb heutzutage höher geschätzt als das des Lachses. Alle Zubereitungsarten für Lachse und Forellen sind für diesen Fisch geeignet.

Gedämpfte Lachsforelle
(für 4 Personen)
1 Lachsforelle (ca. 1 kg),
Salz, Pfeffer,
3 Schalotten in dünne Scheiben geschnitten,
½ Bund Petersilie fein gehackt, 3 Zweige Thymian,
50 g Butter, 40 ml Weißwein

Die Lachsforelle innen und außen salzen und pfeffern und mit zwei Dritteln der Kräuter und Schalotten sowie 40 Gramm Butter füllen. Ein großes Stück Alufolie mit Butter bestreichen und den Fisch darauf legen. Mit Weißwein beträufeln und den restlichen Kräutern und Schalotten bestreuen. Die Folie verschließen und den Fisch bei 200 Grad 20 Minuten im Ofen garen. Die Folie vorsichtig öffnen und den Fisch mit seinem Sud auf eine Servierplatte geben. Mit Salzkartoffeln und grünem Salat servieren.

Die kleine Forelle, früher auch Ferchen genannt, ist ebenfalls ein Lachsfisch und in kulinarischer Hinsicht nicht geringer zu schätzen als ihre im Vergleich geradezu riesenhaften Vettern. »Forellen werden einhellig größlich gepriesen bei allen Nationen zu jeder Zeit des Jahrs, absonderlich aber im Aprilen und Maien«, schrieb ein Feinschmecker namens Konrad Gessner schon im 16. Jahrhundert. Auch heute noch gilt, daß die Forellen in den Monaten mit einem 'i' am besten schmecken. Die eigentlich einheimische Forelle ist die gefleckte Bachforelle. Sie wurde leider von der Regenbogenforelle verdrängt, die nordamerikanischen Ursprungs ist, und 1880 in hiesigen Gewässern ausgesetzt wurde und vor allem als Zuchttier in Aquafarmen eine bedeutende wirtschaftliche Rolle spielt. Heute bemüht man sich verstärkt um eine Wiederansiedelung der Bachforelle, weil sie aromatischer und feiner im Geschmack ist.

Selbst der kritische Karl Friedrich von Rumohr, der akribische Forschungsreisende in Sachen Gastronomie, lobte 1822 in seinem »Geist der Kochkunst« die Bachforellen und erklärte, wie man sie zubereiten solle: »In einigen Gegenden von Deutschland siedet man alle Fische mit Zwiebeln, Essig und Pfeffer ab. Obgleich dies nicht geradezu schlecht ist, so hebt es doch den Unterschied des Geschmackes von einem Fisch zum andern auf. Einige ganze Pfefferkörner pflegen übrigens, eben wie ein reichliches Salz, keinem Süßwasserfisch zu schaden. Mit Essig pflege ich Forellen und Lachse nur alsdann abzusieden, wenn ich sie mehrere Tage hindurch unter einfachem Fischgallerte erhalten will. In einigen Gegenden liebt man die Forelle in gutem Wein abzusieden, was zwar nicht übel ist, doch einer Forelle aus den Hochgewässern vieles von der unbeschreiblichen Feinheit ihres Geschmackes benimmt. Ich würde immer vorziehen, sie in ihrer eigenen Brühe aufzutragen und nichts anderes als frische Butter und gutes Brot dazuzugeben.«

Bachforelle blau mit Nussbutter
(für 1 Person)
2 kleine Bachforellen (je 250–300 g),
Salz, 100 ml Essig,
50 g frische Butter

Die Forellen innen salzen. In einem Topf, in den die Fische gut hineinpassen, reichlich mit Essig gesäuertes und sehr salziges Wasser aufkochen, Hitze reduzieren und köcheln lassen. Die Forellen auf ein Brettchen legen, über den Topf halten und mit heißem Essig übergießen, damit sie sich blau färben. Die Fische ins heiße Wasser gleiten lassen und zehn Minuten garziehen lassen. Forellen herausnehmen, auf eine Servierplatte geben, mit etwas Sud übergießen. Die Butter in einem Topf erhitzen, bis sie braun wird, und dazu servieren. Außerdem Salzkartoffeln und grünen Salat.

Echte Kenner lieben die Forellen gut gekrümmt und leicht aufgebrochen, auch wenn das nicht mehr so hübsch aussieht, denn daran kann man erkennen, daß der Fisch wirklich frisch war, als er in den Topf kam. Eine Forelle, die gebraten werden soll, muß wenigstens eine Stunde vor der Zubereitung tot sein, weil sie sich

sonst so sehr krümmt, daß sie den Kontakt mit dem Pfannenboden verliert, also nicht mehr knusprig gebraten werden kann.

Forelle Müllerin
(für 2 Personen)
2 Forellen,
Mehl, Zitronensaft, Salz, Pfeffer,
50 g Butter, ½ Bund Petersilie fein gehackt

Die Forellen mit Zitronensaft beträufeln, innen und außen salzen und pfeffern und in Mehl wenden. In einer großen Pfanne mit reichlich aufschäumender Butter auf beiden Seiten goldbraun braten. Mit Petersilie bestreuen und zusammen mit in Butter geschwenkten Salzkartoffeln servieren.

Diese beiden klassischen und wirklich einfachen Zubereitungsarten sind jedem geläufig und immer wieder ein Hochgenuß, konstatierten Habs und Rosner schon vor über hundert Jahren: »Jede frische und gesunde Forelle aus klarem, fließendem Wasser liefert bei kunstgerechter Behandlung ein klassisches Gericht, dessen Verdienst gegen andere seinesgleichen abwägen zu wollen mehr als Sünde, nämlich Narrheit ist. Wie wäre auch sonst die merkwürdige Tatsache zu erklären, daß man gerade bei diesem Edelfische sich allgemein mit der einfachsten aller Bereitungsweisen begnügt und nur im Zwangsfall davon abgeht?« Die Köchinnen und Köche in Baden gehen dennoch gern einen oder zwei Schritte weiter bei der Verfeinerung der besonders schmackhaften wilden Forellen aus den Gebirgsbächen des Schwarzwaldes:

Forellenfilets auf Sauerampferrahm
(für 4 Personen)
4 Forellen filetiert, Salz, Pfeffer, Zitronensaft, Butter
Für die Sauce:
100 g Sauerampfer, 1 Schalotte, fein gehackt,
50 g Butter, etwas Weißwein,
3 EL Fischfond, 125 ml Sahne

Die Forellenfilets mit Zitronensaft beträufeln, salzen und pfeffern und in reichlich heißer Butter auf beiden Seiten kurz braten. Für die Rahmsauce den Sauerampfer in feine Streifen schneiden. Die Schalotte weich dünsten, den Sauerampfer dazugeben und ganz kurz garen. Mit Wein und Fischfond ablöschen und pürieren. Sah-

ne dazugießen und aufkochen. Vom Herd nehmen, eis-
kalte Butterwürfel unterrühren und mit Salz, Pfeffer
und Zitronensaft abschmecken. Die Forellenfilets auf
dem Sauerampferrahm anrichten und kleine Kartof-
feln, gedünstete Karotten sowie Kohlrabistreifen dazu
servieren.

Gleichzeitig raffiniert und deftig ist das folgende Rezept, ebenfalls aus dem Badischen:

Forellenkrautwickel
(für 4 Personen)
1 Wirsingkopf, 300 g Forellenfilets, 2 Eier,
Pfeffer, Salz, 250 ml Sahne
Für die Sauce:
2 Schalotten fein gehackt, etwas Butter,
250 ml Weißwein, 2 EL Sahne,
125 g kalte Butter gewürfelt, Salz, Pfeffer

Die Wirsingblätter kurz in kochendem Wasser blan-
chieren. Die Forellenfilets mit den Eiern und der Sahne
im Mixer pürieren und mit Salz und Pfeffer abschmek-
ken. Die Masse auf die Wirsingblätter geben und ein-
rollen. Die Krautwickel in eine gebutterte Form setzen
und im Ofen bei 200 Grad 20 Minuten garen. Für die
Sauce die Schalotten in etwas Butter andünsten, mit
dem Weißwein ablöschen und auf die Hälfte ein-
kochen. Die Sahne hinzufügen und einkochen lassen.
Salzen und pfeffern. Vom Herd ziehen, die kalten But-
terwürfel einrühren und die Sauce über die Krautwik-
kel geben.

Jeweils an einem Samstag im Juli findet in der bayerischen Stadt Memmingen das traditionelle Fischerstechen statt. Die Memminger Bürger treffen sich dann um acht Uhr morgens am Stadtbach und sperren ihn ab. Dann werden große Gabelnetze hervorgeholt, »Bären« genannt, mit denen das ganze Gewässer abgefischt wird. Wer den größten Fisch erbeutet, wird Memminger Fischerkönig. Anschließend wird das Wasser abgelassen und der Bachlauf von Unrat gereinigt. Den ganzen Tag über findet dann das große Fischessen statt, bei dem die erbeuteten Tiere, zumeist Forellen, ganz frisch genossen werden. Sollten trotz des großen Andrangs einige Tiere übrigbleiben, empfiehlt es sich, sie einzulegen und drei oder vier Tage später zu verzehren.

Marinierte Forellen

(für 4 Personen)
4 Forellen, Salz, Pfeffer,
2 EL Zitronensaft, 2 EL Mehl, 3 EL Öl,
2 Zwiebeln in Ringe geschnitten
für den Sud:
250 ml Essig, 1 EL Salz, 1 TL Zucker,
1 EL Senfkörner, 1 EL Pfefferkörner,
1 EL Fenchelsamen, 2 Lorbeerblätter,
1 Stück Muskatblüte,
Schale von 1 unbehandelten Zitrone

Die Forellen innen und außen mit Zitronensaft beträufeln sowie salzen und pfeffern. In Mehl wenden und in heißem Öl auf beiden Seiten je 5 Minuten braten. Die Fische in eine passende Form legen und mit den Zwiebelringen bedecken. Für den Sud ¼ Liter Wasser zu-

sammen mit dem Essig aufkochen. Salz, Zucker, Senf, Pfeffer, Fenchel, Lorbeer, Muskatblüte und Zitronenschale dazugeben und 10 Minuten ziehen lassen. Die heiße Marinade über die Forellen gießen und die Form abgedeckt an einen kühlen Ort stellen.

Bei der Forellenzucht gilt übrigens die Regel: Je kälter das Wasser, um so langsamer wachsen die Fische. Je langsamer das Tier wächst, um so fester und kerniger wird sein Fleisch. Forellen sind sehr gefräßige Tiere. Zwei bis drei Kilogramm Futter vertilgt jeder Fisch, bis er endlich ein Gewicht von bis zu 400 Gramm erreicht hat. Beim Füttern müssen die Züchter aufpassen, daß sie nicht zuviel des Guten tun, denn es ist schon vorgekommen, daß die gierigen Wasserbewohner so viel in sich hineingeschlungen haben, daß sie platzten. Nicht mal vor dem eigenen Nachwuchs machen die kleinen Raubfische halt, weshalb die Brut zügig von den Alten getrennt werden muss.

Ein enger Verwandter der Forelle, der in neuerer Zeit verstärkt gezüchtet und angeboten wird, ist der Saibling. Er sieht der Forelle sehr ähnlich, hat allerdings weiße Punkte und einen roten Bauch. Er kommt in vielen tieferen Seen des Alpengebiets vor, hat rosafarbenes Fleisch und ist noch ein bißchen zarter und wohlschmeckender als die Forelle.

Saibling in Weinsauce
(für 2 Personen)
2 Saiblinge filetiert, Salz, Pfeffer,

Saft von 1 Zitrone, dünne Streifen Zitronenschale,
½ EL Butter, 1 Schalotte fein gehackt,
1 EL Petersilie fein gehackt,
50 g kalte Butter gewürfelt,
125 ml Weißwein

*Die Saiblingsfilets mit Zitronensaft beträufeln, salzen
und pfeffern. Die Schalotte in Butter andünsten. Zitronenschale dazugeben, Wein angießen und aufkochen.
Die Fischfilets in den Sud legen und 5 bis 6 Minuten
garziehen lassen, dabei einmal wenden. Filets herausnehmen und warmhalten. Sud einkochen, vom Feuer
nehmen und die kalte Butter einrühren. Mit Salz und
Pfeffer abschmecken, Petersilie einrühren und die
Sauce über den Fisch geben. Dazu Salzkartoffeln.*

Wie die Regenbogenforelle kommt auch der Saibling
ursprünglich aus Nordamerika und wurde im 19. Jahrhundert in Süddeutschland eingebürgert. In den Alpen
kommen die Fische in Gewässern bis in zweitausend
Meter Höhe vor. Auch im Königsee bei Berchtesgaden,
früher »Chunigesee« genannt, weil es der Privatsee der
Wittelsbacher Königsdynastie war, ist der Saibling an-
zutreffen. Dort gibt es eine kleine Kirche, Sankt Bartho-
lomä, die dem Schutzpatron der Fischer geweiht ist.
Rund um den Königssee findet man immer wieder Lo-
kale, die den köstlichen Saibling auf ihrer Speisekarte
haben. Die Wittelsbacher allerdings haben den köstlichen Fisch damals nicht gekannt. Obwohl er ein »Im-
migrant« ist, zählt der Saibling inzwischen fest zum kulinarischen Repertoire Bayerns. Sogar der puristische

bayerische Meisterkoch Alfons Schuhbeck hat ihn in sein Repertoire aufgenommen und empfiehlt die Kombination mit Spargel.

Saibling mit Spargel
(für 4 Personen)
2 Saiblinge (je ca. 800 g) filetiert,
500 g Spargel, 150 ml Fleischbrühe,
150 g Butter, Salz, Pfeffer, 1 TL Zitronensaft,
1 EL Kerbel fein gehackt, 1 Zitrone

Spargel schälen und die Schalen mit ½ Liter Wasser 5 Minuten kochen. Durch ein Sieb gießen. Den Spargelsud mit der Fleischbrühe, 50 g Butter, Salz und Zitronensaft aufkochen und die Spargelstangen darin 10 Minuten kochen. Zwei Drittel der Stangen in Stücke schneiden. Den restlichen Spargel mit dem Sud im Mixer pürieren und mit 50 g Butter aufmixen. Die Spargelstücke in die Sauce geben, Kerbel darüberstreuen und warmhalten. Die Saiblingsfilets einmal teilen, mit Zitronensaft beträufeln, salzen und pfeffern. Die restliche Butter in einer Pfanne erhitzen und die Filets mit der Hautseite nach unten so lange braten, bis sich die krosse Hautseite nach oben wölbt. Die Filets wenden und 1 Minute fertig braten, auf dem Spargel anrichten und kleine Frühkartoffeln dazu reichen.

Ein weiterer Verwandter der Forelle kommt in den Voralpenseen und vor allem im Bodensee vor: das Felchen, auch Blaufelchen, Sandfelchen, Anke oder Maräne, in manchen Gegenden sogar Albock oder Balchen genannt. Der kleine Lachsfisch, der nur selten bis zu 75 Zentimeter lang und drei Kilogramm schwer wird, hat viele Namen. Je nach Größe und Wachstumsstadium sagte man zum Felchen auch Stüben (junger Fisch), Gangfisch (2 Jahre alt), Renke (3 Jahre) Halbfisch (4 Jahre) oder Bläuling (5 Jahre). Die Bodensee-Felchen gelten unter Feinschmeckern als besondere Delikatesse, und ihr Ruf ist so gut, daß sie manchmal sogar in weit entfernte Regionen geliefert werden. Jedenfalls hat man sie sogar schon auf den Speisekarten Hamburger Restaurants gefunden.

Bodenseefelchen auf »Müllerin Art« zubereitet, wie oben bereits für die Forelle beschrieben, ist die populärste Form der Darreichung, und nach Meinung der Puristen sogar die einzig erlaubte. Man kann dem zarten Fisch aber auch jede andere Art der Zubereitung angedeihen lassen, die zur Forelle paßt bis hin zum Marinieren und Räuchern. Besonders deftig ist das folgende Rezept, das die Mönche des Benediktinerklosters auf der Bodenseeinsel Reichenau erdacht haben sollen.

Bodenseefelchen Benedikt
(für 2 Personen)
1 Bodenseefelchen (ca. 250 g),
Salz, Pfeffer, Zitronensaft,
100 g Butter, 1 Schalotte fein gehackt,
30 g roher Schinken gewürfelt,
50 g Champignons kleingeschnitten,
einige Blätter Salbei,
3 EL saure Sahne,
½ Bund Petersilie fein gehackt

Das Felchen mit Zitronensaft beträufeln, salzen und
pfeffern und in 50 Gramm Butter auf jeder Seite knapp
fünf Minuten braten. Herausnehmen, warmstellen und
das Bratfett abgießen. Die restliche Butter in die Pfanne
geben, Schalotte und Champignons mit dem Schinken
und den Salbei andünsten. Salzen, pfeffern und mit Zi-
tronensaft abschmecken. Vom Feuer ziehen, saure Sah-
ne und Petersilie einrühren, über den Fisch geben und
servieren. Dazu Salzkartoffeln und grüner Salat.

Was die Felchen und den Bodensee betrifft, so erzählen
Habs und Rosner in ihrem »Appetitlexikon« gewohnt
ironisch und doppelbödig von der folgenden kriegeri-
schen Begebenheit: »Im September 1864 widerfuhr einigen tausend Felchen die sonderliche Ehre, den süßen
Tod fürs Vaterland zu sterben, indem bei einer Schieß-
übung der Schweizer Artillerie eine volle Salve in den
See und in einen dichtgedrängten Zug von Felchen ein-
schlug. Es sollen bei dieser Gelegenheit an 4000 Fisch-
helden oder Heldenfische den Tod gefunden haben zur
großen Freude der biederen Konstanzer und zur tief-
sten Betrübnis der braven Artilleristen, die bereits abge-
rückt waren, als dies Ergebnis ihrer Bemühungen bekannt wurde.«

Auch die Bayern lieben ihre Renken, nicht nur die aus
dem Bodensee, sondern auch dem Chiemsee und anderen Voralpengewässern, und verzehren sie gern in ge-
räucherter Form. Wenn sie es aber ganz besonders gut
mit den zarten Fischen meinen, dann legen sie sie in
eine sahnige Sauce.

Renken in Rahm

(für 4 Personen)
4 Renken, 4 EL Butter, 2 EL Zitronensaft,
Salz, Pfeffer, 1 Schalotte fein gehackt,
1 Bund Petersilie fein gehackt, 2 EL Mehl, 200 ml Sahne

*Eine Bratform mit Butter einfetten und in den auf 200
Grad vorgeheizten Backofen stellen. Die Renken mit Zitronensaft beträufeln, salzen und pfeffern. Schalotte und
Petersilie mischen und in die Fische füllen. Die Renken in
Mehl wenden und in die Form mit der geschmolzenen
Butter legen, einmal wenden und die Sahne dazugießen.
15 Minuten im Backofen braten, dabei immer wieder mit
der Sahnesauce begießen. In der Form servieren. Auch
hierzu passen am besten Salzkartoffeln und grüner Salat.*

In den letzten Jahren hat sich die Wasserqualität des
Bodensees, dieses riesigen Binnenmeeres an der Grenze
zur Schweiz und zu Österreich stark verbessert. Dennoch müssen die Fische gehegt und gepflegt werden.
Rund um das Gewässer gibt es sieben Zuchtanstalten,
die den Fischbestand sichern helfen. Jedes Jahr werden
zum Ende des Winters rund eine Million Fischeier eingesetzt, vor allem Felchen. Ohne diese Maßnahme hätten die zweihundert Bodenseefischer den »Dreiländersee« schon längst leergefischt. Mitte der 90er Jahre
wurden aus dem Obersee pro Jahr um die tausend Tonnen Fische geholt, über die Hälfte davon Felchen. Im Untersee sind es pro Jahr etwa zweihundert Tonnen. Die
Zahlen schwanken allerdings stark von Jahr zu Jahr.

Von Zander, Hecht und Barsch

Auch der Zander ist ein Fisch mit vielen Namen: Hechtbarsch, Schill, Amaul und Sander. Die Ungarn nennen ihn Fogasch, wenn er aus dem Plattensee stammt, und Süllö, wenn es sich um einen Donau-Zander handelt. Der Zander ist ein Raubfisch und gehört zur Familie der Barsche. Normalerweise wird er bis zu einem halben Meter lang, kann aber auch größer vorkommen und bis zu zwölf Kilogramm Gewicht erreichen. Man erkennt ihn gut an seinem langgestreckten Körper, auf dessen Rücken sich die charakteristische stachelige Flosse befindet.

Der Zander lebt in den langsam fließenden Flüssen und in Seen Süddeutschlands und gilt wegen seines fett- und grätenarmen, aromatischen Fleisches als besondere Delikatesse. Bis ins 19. Jahrhundert hinein war es üblich, den Donau-Zander mit Fischgabeln oder Speeren zu jagen. Diese Fanggeräte sind seit Anfang des 20. Jahrhunderts aber verboten. Um den Bestand in freier Wildbahn nicht zu gefährden, darf der Zander während seiner Laichzeit zwischen dem 15. März und 30. April nicht gefischt werden. Dadurch hat er heute seine bayerische Bezeichnung »Frauenfisch« verloren, die daher kam, daß man ihn gern an Mariä Verkündigung am 25. März zusammen mit Salat oder Spinat sozusagen als Frühlingsboten verspeist hat.

In seiner amüsanten Beschreibung des Treibens der Isarfischer kommt der Münchener Schriftsteller Josef Maria Lutz auch auf den legendären Donaufisch zu

sprechen: »Bei der Schwindinsel geht es schon an. Da stehen sie und werfen ihre Angeln aus, immer wieder und immer wieder. Es ist ein friedsames Bild. Und je weiter man die Isar hinaufgeht, desto mehr häufen sich diese friedsamen Bilder. Oberhalb des Tierparks, gegen die Alte Lände und Hinterbrühl zu, da stehen sie unentwegt – Angel hinein – Angel heraus – und wieder, mit schönem, ausgreifendem Schwung, Angel hinein. Aber – haben Sie schon einmal gesehen, daß ein Isarfischer einen Fisch gefangen hätte? Ich auch nicht. Angel heraus – einen frischen Wurm daran – Angel hinein. Wenn die Angel herauskommt, ist nämlich der Wurm meistens weg. Aber Fisch – Fisch ist keiner dran. In Regensburg habe ich vor Jahren einmal erlebt, daß einer einen gefangen hat – in München noch nie. Auf den Speisekarten steht auch immer nur: Donauschill, Chiemseelachs, Starnbergersee-Renken, Bodensee-Felchen. Ich will Ihnen den Mund nicht wässerig machen, ich will damit nur sagen, daß ich noch nie einen Isar-Weißfisch, eine Isar-Brachse, Isar-Rotaugen, Isar-Forellen oder einen Isar-Hecht auf einer Speisekarte gelesen habe. Es muß schön sein, als Donauschill auf einer Speisekarte zu stehen und berühmt werden zu dürfen.«

Zander auf Kartoffelrahm
(für 4 Personen)
4 Zanderfilets (je 200 g),
2 EL Öl, 30 g Butter, Salz, Pfeffer
Für die Sauce:
2 Schalotten fein gehackt,
1 TL Butter, 250 g Kartoffeln gewürfelt,
100 ml Hühnerbrühe, 150 ml Fischfond,
150 ml flüssige Sahne, 2 EL Schlagsahne,
Salz, Pfeffer, Muskat,
frische Kräuter der Saison

Die Haut der Zanderfilets mit einem scharfen Messer kreuzweise einritzen. Auf beiden Seiten salzen und pfeffern. Das Öl in einer Pfanne erhitzen und die Fischstükke auf der Hautseite kroß anbraten. Das Öl wegkippen. Butter in die Pfanne geben, aufschäumen lassen, den Fisch wenden und auf kleiner Flamme fertiggaren. Für die Sauce die Schalotten in der Butter andünsten, die Kartoffeln dazugeben, Brühe und Fond zugießen und weichkochen. Pürieren und durch ein Sieb geben. Die flüssige Sahne einrühren, einkochen lassen, mit Salz, Pfeffer und Muskat abschmecken und zum Schluß die Schlagsahne unterziehen. Die Zanderfilets auf eine Ser-

vierplatte legen, mit dem Kartoffelrahm umgießen und mit frischen Kräutern bestreuen.

Zu Zander und Kartoffeln paßt sogar Sauerkraut, wenn es nicht zu sauer ist. Früher wurde der Donau-Schill auch blau gekocht und mit Meerrettich serviert, aber das ist aus der Mode gekommen. In Restaurants wird er zumeist wie oben beschrieben auf der Haut gebraten serviert. Eine Alternative ist das Garen im Sud, das man in Baden bevorzug, wo man einen so feinen Fisch natürlich mit einem edlen Wein kombiniert.

Zander in Riesling
(für 4 Personen)
4 Zanderfilets (je 200 g),
Zitronensaft, Salz, Pfeffer,
100 g Champignons in Scheiben geschnitten,
50 g Butter, 2 Schalotten fein gehackt,
250 ml Riesling, 125 g Sahne, 1 Eigelb,
1 EL Petersilie fein gehackt

Die Fischfilets mit Zitronensaft beträufeln, salzen und pfeffern. Schalotten und Champignons in der Butter andünsten. Zander dazulegen, mit dem Riesling übergießen, zudecken und bei kleiner Hitze garen. Den Fisch herausnehmen und warmstellen. Die Sahne in den Sud einrühren und einkochen lassen. Vom Herd ziehen und das Eigelb einrühren. Mit Salz und Pfeffer abschmekken, Petersilie einrühren und die Sauce über die Zanderfilets geben. Dazu kleine Pellkartoffeln.

Ein in den letzten Jahren zum Klassiker gewordenes Zander-Gericht ist die Kombination mit Linsen. Hierbei kontrastiert das pfeffrige Aroma der Linsen auf angenehme Weise mit dem feinen Geschmack des Zanders. Die Süße des Portweins und die zurückhaltende Säure des Balsamico-Essigs machen aus diesem Gericht einen wahren Gourmetgenuß.

Zander auf Portweinlinsen

(für 4 Personen)

4 Zander-Filets (je 150 g), 1 Schalotte,
1 Stange Lauch, 1 Stück Sellerieknolle, 50 g Speck,
80 g Butter, 200 g kleine braune Linsen,
1 EL Tomatenmark, Salz, Pfeffer, 125 ml Portwein,
250 ml Kalbsfond, Balsamico-Essig

Schalotten, Lauch, Sellerie und Speck fein hacken und in der Hälfte der Butter anbraten. Die Linsen zufügen, rühren, dann das Tomatenmark dazugeben und alles anrösten. Salzen, pfeffern und mit Portwein ablöschen. Den Kalbsfond angießen, die Linsen weichkochen und mit Balsamico abschmecken. Die Zanderfilets salzen und pfeffern und in der restlichen Butter auf der Hautseite kroß anbraten, wenden und kurz garziehen lassen. Die Filets auf den Linsen anrichten.

»Die Leber ist von einem Hecht und nicht von einer Kröte, und ist ein Mädchen dick und dumm, dann wird es Frau von Goethe ... « Die einstmals genauso beliebten wie wenig intelligenten Hechtleber-Reime, mit der sich deutsche Familien beim Sonntagsessen erfreuten, sind längst aus der Mode gekommen. Wie diese Reimereien einst aufgekommen sind, weiß keiner mehr, und daß Frau von Goethe wirklich so dumm gewesen ist, daß sie einen Hechtreim verdient hätte, darf bezweifelt werden.

Die Leber des Hechts wird heute nicht mehr so gern verspeist, denn die meisten Menschen mögen keine Innereien, schon gar nicht vom Fisch. Demensprechend wäre der einzige noch zu vertretende Hechtreim: »Die Leber ist von keinem Hecht auch nicht von einer Kröte, und würde sie dennoch serviert, wir kämen arg in Nöte.«

Gefüllter Hecht
(für 4 Personen)
1 Hecht (ca. 1,2 kg), 150 g Forellenfilet,
6 Salbeiblätter fein gehackt,
1 Knoblauchzehe fein gehackt,
Saft und geriebene Schale von 1 Zitrone,
Salz, Pfeffer, 1 Bund Suppengrün kleingeschnitten,
50 g Butter, 1 EL Mehl,
4 EL Fischfond oder Gemüsebrühe

Die Forellenfilets pürieren oder sehr fein hacken und die Masse mit Salbei, Knoblauch, Zitronensaft und Zitronenschale mischen, salzen und pfeffern. Die Füllung in die Bauchhöhle des Hechts geben. Den Hecht mit Küchengarn zubinden, in Mehl wenden. Die Butter in einen Bräter geben und im Backofen bei 180 Grad schmelzen lassen. Den Hecht darauf legen und auf jeder Seite 3 Minuten im Ofen braten. Das Suppengrün um den Fisch verteilen, den Fond angießen, den Bräter verschließen und den Fisch 20 Minuten garen. Den Hecht im Sud mit dem Gemüse servieren, dazu Petersilienkartoffeln.

Als »geborenen Herr Von und privilegierter Ritter von der Landstraße« titulieren die Autoren des »Appetitlexikons« den Hecht und führen weiter aus, er lebe »mit Vorliebe in hartgründigen Gewässern, da deren Klarheit und Untrübbarkeit ihm das Handwerk erleichtern, wenn er hinter einem Busch Wasserpflanzen auf Beute lauert. Als solche gilt ihm jeder Schwächere, gleichviel ob Ratte, Vogel, Frosch oder Fisch, und wenn man ihm nur Zeit läßt, so wächste er bei dieser entmenschten Lebensweise zu einem Riesen von zwei Meter Länge und bis zu 35 Kilogramm Gewicht heran.«

Ist der Hecht noch sehr jung und gerade mal ein halbes Kilo schwer, hat er eine grüne Farbe und wird deshalb Grashecht genannt.

Grashecht mit Speck

(für 4 Personen)
1 Hecht (ca. 1,5 kg) filetiert, Salz, Pfeffer, Mehl,
Butterschmalz, 100 g Butter,
100 g durchwachsener Speck in Scheiben,
1 Zwiebel fein gehackt, 2 Zweige Thymian,
250 ml Weißwein

Die Hechtfilets salzen, pfeffern, in Mehl wenden und in Butterschmalz auf der Hautseite bei starker Hitze anbraten. Mit etwas Butter eine Form einfetten und die Hechtfilets mit der Hautseite nach oben hineinlegen.

Mit den Speckstreifen belegen und bei 180 Grad 20 Minuten im Ofen backen. Nach 10 Minuten Zwiebel, Thymian und Wein hinzugeben. Die Filets herausnehmen und warmstellen. Den Fond einkochen, die Butter einrühren und um die Filets gießen. Mit Salzkartoffeln und frischem Gemüse servieren. In Baden liebt man es übrigens, die Sauce zum Hecht zusätzlich mit saurem Rahm abzuschmecken.

Der »Wasserwolf« darf nur von September bis Januar frisch verkauft werden. Das dient nicht nur seinem Schutz, sondern auch dem seiner Liebhaber. In der Laichzeit von Februar bis April nämlich sind Milch und Rogen leicht giftig. Ansonsten aber gilt der Hecht als eine der schmackhaftesten Spezialitäten, die die heimischen Gewässer zu bieten haben, und er wird demensprechend auf besonders feine Art zubereitet.

Übrigens war der »Hechtenkraut« die Lieblingsspeise von König Ludwig II. Dafür wurde der Hecht in Butter gebraten, zerlegt und mit Sauerkraut und Rahm vermischt im Ofen gebacken. Das ist nicht gerade die feine Art, die wir heute schätzen. Zwar ist es nicht falsch, Hecht mit Sauerkraut zu kombinieren, aber für eine echte Festtagstafel kommen eigentlich nur Hechtklößchen in Frage.

Hechtklößchen
(für 6 Personen)
500 g Hechtfilets, 4 Eier, 300 ml eisgekühlte Sahne,
Salz, Pfeffer, 4 Prisen Cayennepfeffer,

125 g eisgekühlte Butter
Für die Sauce:
4 Schalotten fein gehackt, 6 EL Weißwein,
3 EL Weißweinessig, 200 g eisgekühlte Butter,
Salz, Pfeffer

Die Filets vor der Weiterverarbeitung gut kühlen. Den Fisch mit dem Mixer pürieren. Eier, Sahne, Salz, Pfeffer und Cayennepfeffer mit dem Mixer einarbeiten. Die Butter in kleinen Stücken dazugeben und die Mischung glattrühren. 12 Stunden kühlen. Dann mit 2 Eßlöffeln Nocken formen. In einem großen Topf Salzwasser erhitzen und die Nocken bei schwacher Hitze garziehen lassen. Auf eine Servierplatte legen und warmstellen. Für die Sauce die Schalotten mit Wein, Essig, Salz und Pfeffer einkochen, bis nur noch 2 Teelöffel Flüssigkeit übrig sind. Die Butter in kleine Würfel schneiden und nach und nach mit dem Schneebesen in die Sauce rühren, so daß diese schaumig wird. Die Sauce über die Hechtklößchen geben.

Diese Hechtklößchen sind ein sehr gehaltvolles Essen. Aber der extrem magere Hecht wurde schon immer großzügig mit Sahne und Butter kombiniert. Hechte werden auch im Norden Bayerns gefangen. Sogar im Main kommt der edle Räuber vor. Früher wurde der Hecht bevorzugt in der Karwoche verzehrt. Es hieß, sein Kopf enthalte die Marterinstrumente Christi: Die Kopfknorpel sind so geformt, daß man darin, wenn man unbedingt will, Kreuz, Hammer, Nägel und Speer erkennen kann.

Einst gab es sogar in München die Zunft der Fischer, die bestens organisiert war und sehr hohe Preise für ihre Isarfische verlangte. Um den ärmeren Bevölkerungsschichten dennoch preiswerte Fischmahlzeiten zu ermöglichen, ließ der Münchener Magistrat 1898 eine Fischverkaufshalle errichten, in der Nordseefische verkauft wurden: »Das Unternehmen hat den Zweck, ein billiges und gutes Volksnahrungsmittel den weitesten Kreisen zugänglich zu machen.« Fortan gab es also auch Heringe und Makrelen auf den Speisezetteln.

Wer aber keine Lust hatte, Fisch überhaupt zu kaufen, verlegte sich mitunter auf ziemlich üble Methoden, um an die begehrten Tiere zu kommen: Der berühmte Kabarettist Karl Valentin hat in seinen Erinnerungen berichtet, wie er als Jugendlicher zum »Fischesprengen« loszog. Zu diesem Zweck beschaffte er sich mit seinen Kameraden auf der »Kalkinsel« nahe der Ludwigsbrücke für fünf Pfennige ungelöschten Kalk mit dem er eine Flasche zur Hälfte füllte. Dann kam ein Korken drauf, in den ein Federkiel gesteckt wurde, und die Flasche wurde an einer tiefen Stelle in die Isar versenkt. Nun wartete man ab, und schließlich gab es einen dumpfen Knall: Die Flasche war explodiert. Wasser spritzte hoch und warf eine ganze Anzahl von Fischen ans Ufer.

Erlaubt war das natürlich nicht. Ob »der Knabe Karl« sich auf diese Weise auch mal so edle Fische wie den Egli auf den Abendbrotteller gesprengt hat, ist nicht verbürgt. Der Egli, auch Schratzen, Kretzer oder Flußbarsch genannt, gilt als einer der feinsten Süßwasserfische. Er wird bis zu 30 Zentimeter lang und ein

Kilogramm schwer, hat sehr festes, weißes, fettarmes und deshalb leicht verdauliches Fleisch. Sein einziger Nachteil: Er ist nur sehr schwer zu schuppen. Für die Qualität des Fisches ist die des Wassers entscheidend. Nur wenn er in sauberen Gewässern gefangen wurde, ist der Flußbarsch wirklich eine Delikatesse. Am besten schmeckt er in Butter gebraten.

Schratzen mit Kräuterbutter

(für 4 Personen)
4 Schratzen, filetiert, Salz, Pfeffer, Mehl,
3 EL Butterschmalz,
2 EL frische Kräuter (Kerbel, Majoran, Petersilie, Dill,
Thymian, Kresse) feingehackt,
3 EL Butter

Die Filets salzen und pfeffern, in Mehl wenden und in dem aufrauschenden Butterschmalz auf beiden Seiten braten. Die Hälfte der Kräuter mitbraten. Den Fisch herausnehmen und auf einer Platte anrichten. Die Butter anbräunen und darüber geben. Mit den frischen Kräutern bestreuen und dazu Pellkartoffeln und Salat servieren.

Zum Schratzen, Egli oder Barsch schreiben Habs und Rosner: »Man serviert ihn gesotten mit Butter-, Kapern-, Champignon-, Paprika-, Senf-, oder Sardellensauce, gebacken mit Parmesankäse, im eigenen Saft geschmort mit Saurem Rahm, mariniert oder gebraten, und in jeder dieser Gestalten ist er hochwillkommen.«

Von Waller, Aal und Trüsche

Woher hat der Waller, auch Weller, Walle, Wels genannt, nur seinen Namen? Das Wort geht, da der Fisch sozusagen zu den Alteingesessenen gehört, auf das gemanische »hwalis« zurück, und das bedeutete Wal, meinte also Riesenfisch. Tatsächlich handelt es sich beim Waller um den größten europäischen Süßwasserfisch. Immer wieder tauchen Bilder und Berichte von gefangenen Riesentieren in der Presse auf. Der größte Waller, der je gefangen wurde, war fünf Meter lang und 300 Kilogramm schwer. Ein Angler allein wird ihn wohl kaum aus dem Wasser gezogen haben.

Der Waller kommt vor allem in der Donau und im Bodensee vor, wo er als schuppenloser, träger Riese

mit seinem bartelbesetzten breiten Maul den Grund
nach Eßbarem absucht. Welsfleisch gilt als Delikatesse,
denn es hat kaum Gräten, einen aromatischen Geschmack, ist fettarm und dennoch fest. Fleisch von jungen Fischen von maximal drei Kilogramm Gewicht ist
besonders begehrt.

Der Wels muß heute allerdings gezüchtet und dann
in die entsprechenden Gewässer ausgesetzt werden.
Auch die Zucht in Aquafarmen setzt sich immer mehr
durch. Dank neuer Vermarktungsstrategien gibt es den
Wels inzwischen auch in Norddeutschland zu kaufen,
obwohl er dort bis vor kurzem so gut wie unbekannt
war. Trendbewußte Konsumenten kaufen ihn unter
dem neudeutschen Namen »catfish«. In Süddeutschland ist ein Waller im Wurzelsud jedoch eine Selbstver-
ständlichkeit.

Waller im Wurzelsud

(für 6 Personen)
1,2 kg Wallerfilets,
1 Stange Lauch in Ringe geschnitten,
2 Karotten in Scheiben geschnitten,
100 g Sellerieknolle gewürfelt,
250 ml Weißwein, 125 ml Weißweinessig,
Salz, Pfeffer, 4 Zitronenscheiben,
150 g Butter, 1 Bund Petersilie fein gehackt,
abgeriebene Schale von ¼ Zitrone

Wallerfilets salzen und pfeffern. Das Gemüse mit 2 Li-
ter Wasser, einem Eßlöffel Salz sowie Wein, Essig und
Zitronenscheiben aufkochen. Die Filets hineinlegen
und bei schwacher Hitze etwa 5 Minuten garziehen

lassen. Währenddessen die Butter zerlassen und bräunen und die Petersilie mit der Zitronenschale mischen. Fischfilets auf einer vorgewärmten Platte anrichten, Wurzelgemüse herumlegen, Sud darüber gießen und mit der Petersilien-Zitronenschalen-Mischung bestreuen. Die braune Butter und Salzkartoffeln dazu servieren.

Schaid, Scharn oder Schaden nennt man den Waller auch. Woher diese Bezeichnung kommt, ist nicht sicher. Vermutlich hat es mit seiner dunklen Farbe zu tun und der Tatsache, daß man einen riesenhaften Schatten auf dem See- oder Flußgrund sich bewegen sieht, wenn der Schaid sich nähert.

Fisch im Wurzelsud zuzubereiten ist eine traditionelle bayerische Methode. Petersilienwurzeln, Pastinaken oder weiße Rüben kann man ebenfalls verwenden.

Doch natürlich eigenen sich Wallerfilets auch ausgezeichnet zum Braten, wie die folgende so einfache wie wohlschmeckende Zubereitung beweisen dürfte.

Gebratenes Wallerfilet

(für 4 Personen)
4 Wallerfilets (je 200 g),
Salz, Pfeffer, 3 EL Butter
Für die Beilage:
500 g Karotten in dünne Scheiben geschnitten,
2 EL Butter, Salz, Pfeffer, Zucker,
125 g Fleischbrühe,
Petersilie fein gehackt

Die Fischfilets salzen, pfeffern und in der Butter auf der Hautseite braten, dann die Pfanne vom Feuer nehmen, die Filets wenden und garziehen lassen. Für die Beilage Karotten in der Butter andünsten, salzen, pfeffern, zukkern und die Brühe angießen. Zugedeckt 10 Minuten garen und mit Petersilie bestreuen. Die Wallerfilets auf dem Karottengemüse anrichten und dazu kleine Pellkartöffelchen legen.

Beim Wels oder Waller handelt es sich um einen typisch süddeutschen Fisch. Aber wie kommt der Aal auf den Speisezettel der Bayern, Schwaben und Badener? Ist der Aal nicht ein Meerestier? Im Prinzip ja. Unser »Europäischer Flußaal« stammt aus der Saragossasee südlich der Bermudainseln. Dort schlüpfen die Larven aus den Eiern und machen sich mit dem Golfstrom auf die viertausend Kilometer lange Reise nach Europa. Dafür brauchen sie zwei bis drei Jahre, und wenn sie an unseren Küsten ankommen, sind sie kaum dicker als ein Streichholz und vollkommen durchsichtig, weshalb man sie Glasaale nennt. Nun begeben sich die jungen Fische in die Flußmündungen und schwimmen als »Steigaale« flußaufwärts. Dabei werden sie größer und nehmen eine dunkle Farbe an. Auf diese Weise gelangt der Aal in den Rhein und von dort in den Main, den Neckar und sonstige Rheinzuflüsse – und in den Bodensee. Damit wäre das Rätsel gelöst. Natürlich werden Aale heute auch in Gewässer eingesetzt, die keine Verbindung zum Rhein haben.

Geschlechtsreif wird der Aal im Alter von acht bis zehn Jahren. Je nach Lebensumständen bleibt er dick und kurz – wenn er im nahrungsreichen Brackwasser in Küstennähe sein Dasein fristet – oder wird bis zu einteinhalb Meter lang und schlank – wenn es ihm gelingt, seine weite Reise durch die Binnengewässer fortzusetzen. Das ist nicht immer möglich, denn die Flüsse sind wegen Schleusen, Wehren und Sperren nicht mehr einfach zu passieren. Deshalb greift der Mensch ein, fängt die jungen Tiere und setzt sie in Binnenseen aus, wo sie heranwachsen können, um später ein zweites Mal gefangen zu werden.

Im Herbst zieht es die geschlechtsreifen Tiere, wenn sie einen Weg finden, wieder zurück ins Meer. Dieser Drang ist so groß, daß sie sich in Ermangelung eines Flusses sogar über Wiesen schlängeln, um voranzukommen. Von nun an nehmen sie keine Nahrung mehr auf und kennen nur ein Ziel: die Saragossasee. Der Weg dorthin ist anstrengend und dauert mindestens ein halbes Jahr. In dieser Zeit zehrt der Aal von seiner Fettschicht, von der er sich bis zu vier Jahre lang ernähren könnte. Hat er seine Heimat erreicht, laicht er und verendet anschließend. Wandernde Aale leben etwa zehn Jahre. In Gefangenschaft sind manche Exemplare aber schon 50 Jahre alt geworden.

Der Aal ist also durchaus eine süddeutsche Spezialität. Norddeutsche dürften darüber staunen, und Hamburger sich ganz besonders wundern, daß nicht nur bei ihnen, sondern auch am Rhein eine berühmte Aalsuppe gekocht wird.

Daxländer Aalsuppe
(für 4 Personen)
2 frische Aale, 250 ml Weißwein,
1 Bund Suppengrün kleingeschnitten,
1 Lorbeerblatt, Butter,
1 EL Mehl, 250 ml Sahne,
Salz, Pfeffer,
1 Bund Salbei fein gehackt,
1 Bund Petersilie fein gehackt

Die Aale ausnehmen, enthäuten, entgräten und in kleine Stücke schneiden. Gräten, Köpfe und Haut zusammen mit ¾ Liter Wasser, dem Wein, Suppengrün und Lorbeerblatt aufkochen und 1 Stunde lang köcheln lassen. Brühe durch ein Sieb geben. Die Aalstücke mit etwas Butter anbraten, mit Mehl bestäuben und dann mit der Brühe ablöschen. Aufkochen und die Sahne einrühren. Mit Salz und Pfeffer abschmecken und so lange kochen, bis die Aalstücke gar sind. Die fein gehackten Kräuter einrühren und mit Weißbrot servieren.

»Normalerweise«, also ohne das Zutun des Menschen, dürfte es in den deutschen Binnengewässern nur Aal-Weibchen geben. Nur sie steigen nämlich die Flüsse hinauf, während die Männchen in den küstennahen Gewässern bleiben. Da die Aale aber gezüchtet und ausgesetzt werden, gibt es heute in den süddeutschen Flüssen und Seen sowohl Männchen als auch Weibchen. Am häufigsten wird der Aal, in Bayern wie in Baden-Württemberg, gebraten und zusammen mit Salbei zubereitet.

Aal in Salbei

(für 4 Personen)

1 kg Aal gehäutet und in 50 g schwere Stücke geteilt,
Salz, 60 g geklärte Butter, 125 ml Weißwein,
20 Salbeiblätter, 2 geviertelte Zitronen

Die Aalstücke salzen und in der Hälfte der Butter kräf-
tig anbraten. Den Bratfond mit dem Wein ablöschen,
die Stiele der Salbeiblätter zugeben und den Aal 20 Mi-
nunten bei mittlerer Hitze fertiggaren. In der Zwischen-
zeit die Salbeiblätter in der restlichen Butter knusprig
ausbacken. Die Aalstücke auf eine Servierplatte legen,
mit dem Bratfond überziehen und den Salbeiblättern
garnieren. Die Zitronenstücke zum Würzen dazulegen.
Mit Salzkartoffeln servieren.

Was ein Aal ist, weiß jeder, aber was ist eine Aalquap-
pe? Dieser Fisch spielt in Süddeutschland eine wichtige
Rolle. Schon die Römer schätzten das vor allem im
Bodensee vorkommende Tier über alles, kaum daß sie
kurz nach Christi Geburt ihre Zelte hier aufgeschlagen
hatten. Noch dreihundert Jahre später ließen sich römi-
sche Kaiser die fetten Lebern der Aalquappen über die
Alpen hinweg nach Rom bringen, und auch heute noch
gibt es Verehrer dieser Spezialität. Der Fisch selbst wird
häufiger in Süddeutschland verspeist, allerdings unter
anderen Namen, nämlich als Rutte oder Trüsche.

Bei der Trüsche handelt es sich um die einzige Dor-
schart, die im Süßwasser lebt. Der langgezogene Raubfisch kann bis zu 80 Zentimeter lang und acht Kilo-

gramm schwer werden und kommt außerhalb des
Bodensees in tiefen, klaren, schnell strömenden Gewässern des Donaugebiets und des Oberrheins vor.
Nur im Winter ist es möglich ihn zu fangen, weil er
dann aus den kalten Tiefen der Gewässer an die Oberfläche emporsteigt. Er hat eher fettes, weißes aroma-
tisches Fleisch, die kleineren Exemplare gelten als die
schmackhafteren. Die Trüsche kann genauso wie der
Aal in Butter gebraten oder wie der Waller in Weiß-
weinsud gegart werden. Das folgende raffinierte Fein-
schmeckerrezept wird dem feinen Aroma des Trüs-
chenfleischs besonders gerecht.

Trüsche im Nudelteig
(für 4 Personen)
350 g Trüschenfilet,
Salz, Pfeffer, Muskat, 200 g Crème double,
150 g Steinpilze fein gehackt,
3 EL frische Kräuter fein gehackt
Für den Teig:
300 g Mehl, 3 Eier, Salz
Für die Sauce:
125 ml Fischfond, 125 ml Weißwein,
125 ml Sahne, 3 EL Crème fraîche, Salz, Pfeffer

*Das Fischfilets gut kühlen, durch den Fleischwolf dre-
hen und mit Salz, Pfeffer und Muskat würzen. Anschließend mit Crème double im Mixer fein pürieren.
Die Masse in drei Portionen aufteilen. Eine Portion so
lassen, wie sie ist, eine mit den Steinpilzen, eine mit den
Kräutern vermischen. Aus Mehl, Eiern und Salz einen
Nudelteig kneten und auf einem bemehlten Tuch sehr*

dünn ausrollen. Die drei verschiedenen Füllungen quer in Streifen darauf verteilen. Mit Hilfe des Tuchs wie einen Strudel aufrollen. In einem großen Topf im Tuch über Dampf garen. Für die Sauce den Fischfond mit Wein und Sahne auf die Hälfte einkochen. Mit Crème fraîche aufmixen und gut würzen. Die Rolle in Scheiben schneiden und auf der Sauce anrichten. Dazu passen Steinpilze und Spinat.

Geradezu lobhudelnd heißt es im »Appetitlexikon«: »Quappenschnitten, in Weißwein gekocht, mit in Butter geröstetem Porree, Sellerie, Zwiebeln, Möhren usw., sind ein Fastengericht ersten Ranges, dem weder die deutsche Hechtsuppe mit Champignons noch die französische Forelle in Champagner, noch das englische Whitebait in Madeira gleichkommen. Im übrigen wird die Quappe genau wie der Aal behandelt, doch mit dem Unterschied, daß die große, fette hellgelbe oder blassrote Leber ganz besonders geschätzt und als Quappenleberpastete aufgetischt, gefiert und verzehrt wird. Die Laichzeit fällt in den Winter (Ende Dezember bis Anfang März), die Quappensaison umfaßt daher die Monate Dezember, Januar und Februar; nach dieser Zeit schrumpft die Leber ein und wird ungenießbar. Der Fisch denkt aber auch hochherzig genug, um außer der Saison nur ganz ausnahmsweise ins Netz zu gehen.«

Von Meefischli und Steckerlfisch

Die kleinen Köstlichkeiten, denen die Franken den niedlichen Namen Meefischli gegeben haben, sind ganz einfach Mainfischchen. Es handelt sich um Weißfische wie Brachsen, Blei oder Plötze, kleine und ganz kleine Bewohner des noch immer recht sauberen Mains. Meefischli werden fangfrisch zubereitet, ohne daß man sich bei den kleinen Tieren die Mühe machen muß, sie auszunehmen. Sie werden in heißem Fett knusprig ausgebacken und dann ganz einfach mit den Fingern gegessen, mit Kopf und Schwanz im Ganzen. Wer zivilisierter vorgehen will, kann die kleinen Flußbewohner natürlich ausnehmen und ihnen vor dem Zubereiten die Köpfe abtrennen. Wirklich nötig ist das aber nur bei größeren Exemplaren.

Im Grunde genommen sind die Meefischli für die Franken das, was Sardellen und Sardinen für die Mittelmeervölker sind: Kleine, preiswerte, schnell zubereitete Köstlichkeiten. Genau wie Sardinen schmecken die Meefischli am besten, wenn sie nur mit Zitronensaft beträufelt verspeist werden. Etwas Salz darf auch dazu, Petersilie kann nicht schaden, und wer es besonders gut meint, kann auch einen Salat und etwas Brot dazu reichen oder Kartoffelsalat. Mehr aber auf keinen Fall, jedenfalls nicht in Würzburg, wo heute noch einige Mainfischereien diese einfache Köstlichkeit anbieten. Natürlich darf eine ergänzende Zutat dann doch nicht fehlen: ein herber süffiger Frankenwein. Ein besonderer Würzclou ist im folgenden Rezept versteckt.

Gebackene Meefischli
(für 4 Personen)
1 kg Meefischli,
Zitronensaft, Salz, 2 EL Mehl,
1 Messerspitze Zimt (!),
reichlich Öl oder Fett zum Ausbacken,
Zitrone, Petersilie

Die Meefischli schuppen, aber nur die größeren Exemplare ausnehmen. Eventuell die Köpfe abschneiden. Die Fische waschen, salzen und mit Zitronensaft beträufeln. Etwa 1 Stunde lang ziehen lassen. Das Mehl mit dem Zimt vermischen und die Fische darin wenden. In siedend heißem Fett goldgelb und knusprig ausbakken. Mit Zitronenscheiben oder -vierteln und Petersilienblättern garnieren.

Was den Würzburgern ihre Meefischli, das waren früher den Münchnern ihre Isar-Weißfische, auch »Nasen« genannt. »Mit Recht heißen diese silberschuppigen, rotbefloßten Weißfische mit dem langgestreckten Körper so«, schrieb Karl Rühmer in seinem 1935 erschienenen Fachbuch »Fische und Fischer«, »denn nicht wie bei den übrigen Fischen läuft der Kopf in ein ober- oder unterständiges Maul aus, sondern da, wo die anderen Fische das Maul haben, tragen die Nasen ein nasenförmiges oft rötlich-weißes, manchmal schwarzes Fleischpolster.«

Die Nasen leben von Algen und kleinen Wassertieren, die sie auf dem Flußgrund finden, und steigen nur selten an die Oberfläche. Sie wurden deshalb nur im Frühjahr gefangen, wenn sie sich zum Laichen in flachere Bereiche begaben oder versuchten, flußaufwärts zu steigen, in ihre angestammten Laichgebiete.

Heute sind die Flußläufe derart reguliert, daß die Nasen kaum noch geeigneten Lebensraum finden. Die Isar-Weißfische sind schon lange kein Wirtschaftsfaktor mehr. Das war mal anders, wie der Blick in ein altes Münchener Kochbuch zeigt, in dem das folgende traditionelle Rezept zu finden ist.

Weißfische mit Senfsauce
(für 4 Personen)
1 kg Weißfische
Für den Sud:
1 Bund Suppengrün kleingeschnitten,
4 EL Zitronensaft oder Essig,
1 EL Salz, 1 Prise Zucker,
1 Zwiebel in Scheiben geschnitten,
1 Lorbeerblatt, 2 Nelken,
4 TL Wacholderbeeren,
4 Pfefferkörner, 4 Zitronenscheiben
Für die Sauce:
2 EL Mehl, 2 EL Butter, Salz, 2 EL Senf,
Zitronensaft oder Essig, 1 TL Zucker

Die Zutaten für den Sud in 1 Liter Wasser aufkochen und ½ Stunde köcheln lassen. Dann die Fische hineinlegen und bei geringer Hitze garziehen lassen. Für die Sauce das Mehl in der Butter anbräunen, mit dem

Fischsud ablöschen und salzen. Den Senf einrühren,
mit Zitronensaft oder Essig und Zucker abschmecken
und ordentlich durchkochen lassen.

Für einen modernen Gourmet ist dieses Rezept sicherlich keine Offenbarung, eher ein unkalkulierbares
Wagnis, aber so wurden die Nasen vor hundert Jahren
in München gern gegessen.

Kommen wir abschließend zu den Meeresfischen.
Doch, auch sie gehören zur süddeutschen Tradition,
man darf das behaupten. In badischen und bayerischen Kochbüchern finden sich gar nicht so selten
Rezepte für Meeresfische. Vor allem der Stockfisch,
als getrockneter, haltbarer Importfisch, wurde als Ersatz für frischen Kabeljau oder Schellfisch in früheren
Zeiten durchaus des öfteren im Süden Deutschlands
verspeist, zumeist in Verbindung mit einer Senfsauce.

Nachdem, wie schon weiter oben erwähnt wurde,
die »Dampffischereigesellschaft Nordsee« 1898 auf
Drängen des Münchner Magistrats eine Fischverkaufshalle auf dem Viktualienmarkt errichtet hatte,
kamen besonders die ärmeren Bevölkerungsgruppen
endlich in den Genuss preiswerten Fischs. Nun wurden, nachdem es jahrhundertelang bestenfalls Salzheringe zum Kochen und manchmal auch geräucherte Bücklinge gegeben hatte, endlich frische Heringe
zum Braten angeboten. Und aus den Resten, die übrigblieben, kreierten die findigen Münchner Hausfrauen
das Fischpflanzerl.

Fischpflanzerl
(für 4 Personen)
250 g Fischreste oder Filet,
2–3 gekochte Kartoffeln, 1 Ei, Salz, Pfeffer,
Semmelbrösel, Fett

Das Fischfleisch fein hacken, die Kartoffeln reiben, beides vermischen. Das Ei unter die Masse kneten, salzen und pfeffern. Aus dem Teig flache Scheiben formen, in Semmelbröseln wenden und in heißem Fett in der Pfanne braten. Dazu schmecken Kartoffelsalat oder Salzkartoffeln und grüner Salat. Oftmals wurde auch Senfsauce dazu serviert. Statt der Kartoffeln kann man altbackene Semmeln nehmen und den Teig mit angedünsteten Zwiebeln und Petersilie mischen, dann werden die Fischpflanzerl lockerer und würziger.

Auch ein anderer preiswerter Nordseefisch wurde nach der Errichtung der Fischverkaufshalle auf dem Viktualienmarkt angeboten und machte sehr bald eine eigenständige Karriere auf der Wies'n: Die wegen ihres hohen Fettgehalts besonders gut zum Grillen geeignete Makrele verwandelte sich in den Händen der Münchener in den beliebten Steckerlfisch, der auch heute noch zum Speisenangebot des Oktoberfestes gehört.

Ursprünglich wurden die Steckerlfische aus Süßwasserfischen gemacht. Forellen, Renken, Lachsforellen und verschiedene Weißfischarten aus den Voralpenseen und aus den umliegenden Flüssen wurden dafür verwandt. Für das Oktoberfest kamen die Fische früher vor allem aus dem Chiemsee. Steckerlfische sind aber keine Wies'n-Erfindung. Es gab sie schon Jahrhunderte zuvor. Es war eine einfache Art für die Anwohner eines Sees, ihre Beute zu genießen. Steckerlfische sind einfach nur kleine Fische, die auf Stöcke gespießt werden. Die Stöcke werden schräg in den Boden gesteckt, um so die Fische über der heißen Glut eines heruntergebrannten Feuers oder über Holzkohle zu grillen. Ihre knusprige Haut bekommen sie dadurch, daß sie mit zerlassener Butter bestrichen werden. Hat man passende Spieße, läßt sich das auch sehr gut am heimischen Grill im Garten durchführen.

Steckerlfisch
(für 4 Personen)
je nach Größe 4–8 ganze Fische
(Weißfische, Forellen, Renken oder Makrelen),
1 Tasse zerlassene Butter, Salz

Die Fische (falls erforderlich) schuppen, ausnehmen, waschen und gut salzen. Den Holzkohlegrill anheizen und warten, bis das Feuer erloschen ist und die Holzkohle weiß glüht. Jeden Fisch einzeln längs auf dünne Holzstöcke spießen, mit Butter bestreichen und ohne Rost über die Glut legen. Auf allen Seiten knusprig braten und ab und zu erneut mit Butter bestreichen. Dazu passen eine Semmeln oder Brezen.

Auf der Wies'n werden die Fische in Papier eingewickelt und aus der Hand gegessen. Aber was macht ein hungriger Oktoberfestbesucher, der keinen Steckerlfisch mag

und trotzdem seinen Hunger stillen will? Ganz recht, er geht los und holt sich eine Weißwurst. Dazu lassen sich sogar kritische Gourmets herab, denn die Münchner Weißwurst genießt einen legendären Ruf. Und weil die Weißwurst so berühmt ist, haben sich sogar Sterneköche daran gemacht, eigene hochedle Weißwurstvarianten zu ersinnen. Hochgestochene Verfeinerung gepaart mit feinsten Zutaten sind hier vonnöten. Warum also nicht eine Weißwurst von Edelfischen kreieren? Das folgende Rezept stammt aus einem Münchner Gourmet-Restaurant.

Weißwurst von Edelfischen
(für 4 Personen)
250 g Fischfilet (Zander, Hecht, Waller o. ä.),
3 Eiweiß, 250 ml Sahne, Salz, Pfeffer,
½ Bund Schnittlauch fein geschnitten,

Schafsaitlinge (beim Metzger bestellen)
Für die Beilage:
300 g Wirsingblätter, 75 g Butter, Salz, Pfeffer,
Muskat, 250 ml Fischfond, 250 ml Sahne,
100 ml Weißwein, 2 TL grobkörniger Senf

Die Fischfilets leicht anfrieren und im Mixer pürieren. Dabei langsam das ebenfalls gekühlte Eiweiß und die eiskalte Sahne zufügen. Die Masse salzen und pfeffern und die Schnittlauchröllchen unterrühren. Den Fischteig mit einer Spritztülle in die ausgewaschenen Saitlinge füllen und etwa 10 Zentimeter lange Würstchen abdrehen. In Salzwasser 10 Minuten garziehen lassen. Für die Beilage den Wirsing in Salzwasser blanchieren, in feine Streifen schneiden und in der Hälfte der Butter andünsten. Mit Salz, Pfeffer und Muskat würzen. Den Fischfond mit der Sahne und dem Weißwein einkochen. Die restliche Butter mit dem Schneebesen einrühren und den Senf zufügen. Zum Servieren den Wirsing auf die Teller verteilen, die Weißwürstchen aus ihrer Haut lösen, darauf legen und die Sauce darüber gießen.

Mit den traditionellen Fischwürstel, die ähnlich wie die Fischpflanzerl aus Resten hergestellt und in der Pfanne gebraten wurden, hat dieses Rezept natürlich nichts zu tun. Was die Weißwurst vom Edelfisch mit seinem fleischigen Vetter gemein hat, mag der geneigte Esser entscheiden. Immerhin beweist dieses Rezept, daß man auch mit urtümlichen traditionellen Gerichten kreativ umgehen kann, nicht zuletzt mit dem vielseitig verwendbaren Fisch aus süddeutschen Gewässern.

OhA! – Das Programm der kleinen Bücher im Europa Verlag

Von Ronald Gutberlet liegen in dieser Reihe ebenfalls vor:

BEUSCHERL, HAX'N UND SCHWEINSBRATEN
Fleischgerichte aus Süddeutschland
BREZEL, ZIPFEL, LEBERKÄS
Brotzeit und Vesperspeisen aus Süddeutschland
KNÖDEL, KNÖPFLE, MAULTÄSCHLE
Deftige Mehlspeisen aus Süddeutschland
SCHWAMMERL, SPARGEL, GRÜNKERN, KRAUT
Gemüse- und Eintopfgerichte aus Süddeutschland
STRUDEL, SCHMARRN UND OFENSCHLUPFER
Süßspeisen und Desserts aus Süddeutschland

Von Ronald Gutberlet liegen in der Reihe
»Norddeutschland kulinarisch« vor:

PLUMEN UN KLÜTEN
KRAUT UND RÜBEN
DEICHLAMM, PINKEL, OCHSENBRATEN
SCHOLLE, AAL UND STIPPE
AUSTERN, KRABBEN, KREBS UND HUMMER
TEE, GROG, PU NSCH UND KÖM

Die Deutsche Bibliothek – CIP-Einheitsaufnahme
Ein Titelsatz für diese Publikation ist bei
Der Deutschen Bibliothek erhältlich.

© Europa Verlag Hamburg, Januar 2002
Lektorat: Andreas C. Knigge
Umschlaggestaltung: Groothuis & Consorten, Hamburg,
unter Verwendung einer Illustration von Isabel Kreitz
Innengestaltung: H & G Herstellung, Hamburg
Illustrationen: Isabel Kreitz, Hamburg
Druck und Bindung: Clausen & Bosse, Leck
ISBN 3-203-85040-0

Informationen über unser Programm erhalten Sie beim
Europa Verlag, Neuer Wall 10, 20354 Hamburg,
oder unter www.europaverlag.de